Ulrike Almut Sandig

ich bin ein Feld voller Raps
verstecke die Rehe und leuchte
wie dreizehn Ölgemälde
übereinandergelegt

Gedichte

Schöffling & Co.

Erste Auflage 2016

Satz: Fotosatz Amann, Memmingen
Druck & Bindung: Pustet, Regensburg
ISBN 978-3-89561-189-6

www.ulrike-almut-sandig.de
www.schoeffling.de

INHALT

α Anfangsland

im Anfang steht niemand.
im Anfangsland lag ich und schrie.
am Ende schweig ich und zieh
ein weiß beschriftetes Spruchband
hinter mir her. was draufsteht?
am Anfang, am Ende der gleiche
Vokal und immer, immer im Liegen
hört ihr meinen Anfang: ich bin
ein Strom, der in andere mündet
in den wieder andere münden.
ich bin ganz aus Sprache gemacht
ich bin ein irrer Anfangsvokal
Alleinstellungsmerkmal meiner
verlorenen Art, die sprechen muss
um sich selbst zu begreifen. wir
sind allein und jetzt alle zusammen:
dona nobis pacem uns zartem
gefräßigem Alphagetier. ich bin
nicht allein. du bist nicht allein
wir irren, o Herr, von einem Verhör
zum andern und stecken einander
Messer rein: ich habe, du hast
nein, wir haben wohl eine Tendenz
zur Ausuferung, also wo ist, o
Big Bang, der Anfang vom Argen?
im Anfangsland lag mein Flüsschen
mit Schnabel. am Anfang lag ich
niemand war ich und niemand
werde ich sein. dazwischen bin ich
Stimmgabel aus flüssigem Stoff
ich bin mein eigenes Lied aus dem Off
über ein vollkommen weißes
Rapsfeld im Schnee

I ich bin ein Feld voller Raps

meine Freunde, versteht mich nicht falsch

wir kennen uns nicht. ich kenn mich doch selbst
nicht. ich steh morgens auf und weiß nicht: bin ich es
Almut? Ulrike? wer war dieses Kind unterm Rock
seiner Mutter? ich bin die Mutter, ich bin die Tochter
ich bin der Schatten zum sich drunter Verstecken
ich bin ein Feld voller Raps, verstecke die Rehe
und leuchte wie dreizehn Ölgemälde übereinander
gelegt. ich bin die Landschaft, ich bin die Jägerin
auf freier Flur, befinde mich auf dem Hochstand
am Waldrand und zähle die Rehe im Feld. Freunde
seht ihr mein kurz geschnittenes Haar? ich lass es
flattern im Winde. ich bin ein Text, der zum Ende hin
ausfranst, ein Stück nur von einem Soldaten

seine Brauen, die Waden oder sein Galgenhumor
den er schließlich verlor, als er den Schießbefehl
an eine klägliche Reihe zu junger Soldaten nicht
erteilte, weil in der noch kläglicheren Reihe vor ihm
eine Schwangere stand. ich bin die Schwangere
ich bin die Reihe von dreizehn Gewehren, ich bin
ein Kriegsverräterprozess. ich bin kein artiges Kind
das darf nur heimlich lösen sein Haar und lassen
es flattern im Wind! ich bin ein Fant, der spinnerte
Wind, das himmlische Kind, und ich drehe mich
um einen Turm mit hohem Balkone, auf dem
eine Frau steht und still und heimlich ihr Haar löst
aber nein, diese Frau bin ich nicht, bin ich doch

will ich nie wieder sein. meine Freunde, versteht

alles muss ich zweimal sagen, alles
muss ich zweimal tun. alles

muss ich wiederholen: alle Fehler
und jeden Verrat, immer zweimal: TEST

TEST! ich bin ein zweistimmig singender
Vogel mit Menschengesicht

und schwer als schräges Tier zu erkennen
wenn ich im Farnbaum sitze

und zweistimmig klirre, zweistimmig
klicker und mit dem Schnabel

knirsche und knarr. ich bin
eine Reisegesellschaft und lock dich

gen Süden, als läge das Glück
tatsächlich unterm Äquator begraben

aber lass dich nicht täuschen! mir
ist nicht zu trauen oder wenn

dann immer nur zweimal. dir
ist nicht zu helfen, kein einziges Mal

ich bin ein Teekesselchen auf zwei Beinen
und trage den schwarzen Talar

meines Vaters, seinen weißen Kragen
und die Mädchenträume meiner

Mutter trag ich auch mit mir herum
wenn ich dich verlasse, dann

immer zweimal:

einmal im Süden, aber das nur zum Test
und einmal STOPP! auf Nordwest

meine Liebe

die Spatzen pfeifen auch hier von den Dächern
dass alles, was da ist, sein Gegenteil hat.

erst gestern sah ich eine zweite Ulrike
in die Kamera lachen, aber die sah mir überhaupt

nicht ähnlich, ich hab sie kaum wiedererkannt
meine Liebe, du und ich und alles, was da ist

wir könnten auch unser Gegenteil sein. ich könnte
ganz anders heißen. wie wäre es mit Hinemoana?

sieh her: selbst wenn ich mich gar nicht bewege
dreht sich der Globus immer

immer im Kreis. wer hat auch behauptet
der Aufenthaltsort der Antarktis sei immer

immer ganz unten? ich war es nicht
Hinemoana wars nicht und du

warst es auch nicht. breit und verletzlich
schiebt sich die Antarktis

der Bautzener Straße entgegen
und ich muss jetzt schließen und bleibe

deine Hinemoana

PS: nur die Spatzen finden ihr Gegenteil nicht
die Spatzen sind immer die Spatzen

auch hier

dieses Märchen steht nirgends geschrieben.
nichts kann es lindern. dieses Märchen wandert
von Maul zu Maul und grault sich fürchterlich
vor seinen Erfindern. dunkel, dunkel ists
im geschlossenen Rachen der Kinder, sprichs
aus: finsterer als die Filme in ihren Billyregalen
all ihre Waffenspielereien zusammengezählt
es trägt einen Pelz aus menschlichem Haar
aber immer ist ihm zu kalt. es wütet im Kühlfach
klopft an alle Wände, alle Türen, und wenn du
im Morgengraun heimkommst, findest du es
mit triefendem Haar. ach, da brach eine Sintflut
über das Märchen herein, und kurz bevors
an den eigenen Tränen ersoff, erzählte es noch
von Bosheit und Hochmut seiner Erfinder
doch keiner hörte es an, du warst ja noch aus.

Ballade von der Abschaffung der Nacht

unter dem vollkommen wolkenlosen Himmel
eines Staates ziemlich weit hinten
auf dem Zeitstrahl der Geschichte unserer Art
in einem Strafgefangenenlager
wurde die Nacht abgeschafft. einem Nackten
wurden die Augen verbunden
und entgegen ärztlichem Rat beide Hände
über dem Kopf festgemacht
gelegentlich legte ein Mann eine schnurlose
Bohrmaschine an seine Haut
laut Protokoll stand der Befragte 2 ½ Tage

unter dem vollkommen wolkenlosen Himmel
eines Staates ziemlich weit hinten
auf dem Zeitstrahl der Geschichte unserer Art
in einem Strafgefangenenlager
holte ein Mann einen anderen aus seiner Zelle
zog ihm BH und Stringtanga an
und führte ihn wie einen Hund durch den Raum
eine Lederleine an seinen Ketten
und hieß ihn, um sich zu retten, Kunststückchen
aufführen nach Art der Hunde

unter dem vollkommen wolkenlosen Himmel
eines Staates ziemlich weit hinten
auf dem Zeitstrahl der Geschichte unserer Art
in einem Strafgefangenenlager
drehte ein Mann einen anderen auf den Kopf
und flößte ihm ein kobaltfarbenes
Meer in den Anus. doch wie hart er dem Mann
auch hernach in den Bauch schlug
der Befragte hat nichts als Wasser gespuckt

unter dem vollkommen wolkenlosen Himmel
eines Staates ziemlich weit hinten
auf dem Zeitstrahl der Geschichte unserer Art
in einem Strafgefangenenlager
schlug ein Mann einen anderen mit dem Kopf
an die Wand aus Beton und legte
ihm danach ein Tuch aufs Gesicht und tränkte
ihn fünfeinhalb Stunden mit Wasser
bis ein Fingerschnippen genügte und der Mann
Luft holte und dem anderen
ganz von allein ein weiteres Märchen schenkte
aus tausendundeiner weiteren Nacht

unter dem vollkommen wolkenlosen Himmel
eines Staates ziemlich weit hinten
auf dem Zeitstrahl der Geschichte unserer Art
in einem Strafgefangenenlager
trat ein Mann sein Schichtende an und legte
den anderen nach der Behandlung
in einen von außen verschließbaren Sarg oder
er faltete ihn zu einem Stapel
Wäsche mit Schuhen zusammen und verstaute
ihn in einer Kiste aus Holz

unter dem verkommen wolkenlosen Himmel
eines Staates ziemlich weit hinten
auf dem Zeitstrahl der Geschichte unserer Art
in einem Strafgefangenenlager
lag in einer Holzkiste einer, der hatte nur noch
ein Auge. mit dem anderen
betrachtete er den vollkommen gleichförmigen
Himmel, der grün, grün war
und mit dem Rest seines Menschenverstandes
zuckte, lachte und schrie er
im Spasmus und wollte kein Ende mehr finden

das ist ein Schlaflied für alle, die sich wehren
wenn es ans Einschlafen geht, Schlaflied
für alle, die Widerstand leisten, wenn es heißt:
Licht aus, hier wird nicht gesprochen! meine
müden Freunde, alle Stühle stehen längst
auf den Tischen der Bars, Werbetafeln surren
beim Tausch der Plakate, Kameras filmen
die leeren Eingangspforten der Banken, alle
Nachtschalter leuchten, alle Nachtbusse
durchstreifen die angestrahlte Kathedrale

der Stadt. wir reden nur noch in Bildern. aber

wissen wir überhaupt, wie sich DUNKELHEIT
schreibt? meine müden, nachtblinden Freunde
wir warten auf gute Nachricht, denn gute
Nachricht bei Tage ist rar, wir warten auf zwei
drei von den guten, summenden Träumen
vier Friedensverträge, fünf Äpfel im Tiefschlaf
wir warten auf sechs Kathedralen und auf
die sieben fetten Kühe, acht stille Stunden
voll Schlaf, wir warten auf neun fehlende
Freunde. wir zählen die Anzahl unserer Finger

wir wehren uns noch. wir schlafen nicht ein.

hallo, hat hier einer jetzt aber mal was Ernstes gesagt?
gute Nacht, meine Seele, ich wollte eh gerade gehn
nur warum hör ich trotzdem, Nacht für Nacht und müde
steinmüde, sternmüde, wie du dich in deinem Grabe

umdrehst? meine Güte, dein Kreiselspiel bin ich leid
du bist ein Nachrichtensatellit, du drehst und drehst dich
um eine sehr große Kugel, die nicht ganz rund läuft
hallo Seele, wärst du noch bei mir, ich schaffte dich ab

in Melbourne fand man ihn nicht
da hat es nur immer geregnet

in Gisborne hatte man schon mal
vom Süden gehört und auch

auf den flachen, zerbrechlichen
Dächern von Juni bis Juli

zuhaus. ein einziges Mal wurde
der Süden beim Hiersein ertappt

als er uns aber bemerkte, drehte er
sich 13½-mal um die eigene Achse

und vertraute uns dann
seinen hundertsten Vornamen an

merkt ihn euch gut, sprachs
und war im selben Moment

in den gurrenden, bunten Prospekten
unseres Unterbewusstseins

verschwunden

unter ihm schiebt sich sehr langsam
eine tektonische Platte nach Norden
über ihm faltet sich seit Milliarden
von Jahren ein Fels zu den flirrenden
Wolken herauf, die fliegen in irrer
Geschwindigkeit über Boden und Felsen
und Jäger hinweg, der mitten in einer
Schafherde steht. an seinem Arm
schwankt das Mikro und registriert

die polyfonen Gesänge der Schafe

den Klang der Gräser in ihren Mäulern
das Dampfen aus ihren verschieden
farbigen Nüstern und wie ihre schweren
Felle sich streifen. im Rückenwind
regt sich das Kunstfell des Mikros und
zieht die tiefen Frequenzen heraus
und der Tonjäger mit erhobenem Arm
hoch über den schwankenden Köpfen
der Schafe auf einer tektonischen

Platte, die sich geräuschlos bewegt

Birdwood Avenue, Darwin 0800
ich fotografierte ein Trauerschwanpaar

sie trieben auf dem Teich des Botanischen Gartens
in einer geschlossenen Fläche aus Linsen

ihr Schwarzanteil war so hoch
dass sie das Cyan des Himmels verschluckten

kurz bevor ich den Auslöser drückte
schien ihre Oberfläche zu schwanken

Birdwood Avenue, Darwin 0800
ich fotografierte zwei Schlüsseltiere in Trauer

maile ich dir. du schreibst mir zurück
ich sei nie in Darwin gewesen

Tröstelied mit echten Tieren, allein und in Gesellschaft vor sich hin zu tirilieren und dabei dem alten Affen Angst tief in die aufgerissenen Augen zu schaun

heile heile, Kätzchen
wird alles wieder gut

heile heile, Spätzchen
ist alles voller Blut

heile heile, Löwenmaul
dem fehlen alle Zähne

heile heile, alter Gaul
der hat gar keine Mähne

keine Eile, Rattenschwanz
wird alles nie wieder

doch wieder
–

meine Freundin vermisst schon
den Balkon im oberen Stock ihres Hauses

meiner Freundin fehlt jetzt schon
das Kuppelgemisch aus Pappmachéluft

wo neulich die Schwalben Kreise
schnitten in der exakten Schädelform

meiner Freundin, und alles wofür?
und alles nur, um leicht und lang, lang

zu schlafen, im langsamen Sturz
durch die Erdatmosphäre zu regnen

zu schlafen wie strafen, dem nackten Kopf
meiner Freundin entgegenzurasen

ein jeder in seinem Bett aus nichts
als wärmer und wärmer werdender Luft

über uns wölbt sich die Plexiglasnacht
wir werfen unsere Köpfe zurück

und stehen eindeutig zu nah
an der Kreuzung, auf der zur Stunde

das Feuerwerk abgebrannt wird
die erste Rakete steigt über

die steinerne Brunnenfigur
und in den dunklen Himmel hinein

besprüht ihn mit Licht, die Schatten
der hohen Gebäude rücken

zusammen, jemand klatscht Beifall
und wir stehen eindeutig zu nah

beieinander. du kennst mich noch nicht
meine Freundin: in sieben Wochen

werd ich dich verlassen, heute
noch nicht. heute regnet es Asche

und farbiges, farbiges Licht
auf dein Gesicht, meine Freundin

nicht alt und nicht jung sein, aber alt genug sein
um mehrere Dinge auf einmal zu sein: Ulrike

und Almut, ein großes Tier mit aufrechtem Gang
ein seltsames Tier sein, das spricht. staunen

über das Tier, das ›ich‹ sagen kann, das sich
erinnert. Hunger haben wie ein Tier, unersättlichen

Hunger nach schlichten Begriffen wie ›Baum‹
wie ›Vater‹ und ›Mutter‹, wie ›du‹ und ›ich‹

eine Menge von Dingen nicht begreifen, aber
alt genug sein, sich nicht mehr zu schämen

dafür. sich vor Krankheiten fürchten und vor
den kleiner werdenden Eltern, ihrem kindlichen

Lachen im Graswald hinter dem Haus. leichter
werden, leichter und mit dem Wind ziehen

in gleich welche Richtung. Wurzeln schlagen
in gleich welcher Stadt. Baum hinterm Haus

von Vater und Mutter zu sein. keinen Namen
mehr tragen, nicht länger zu sagen ›ich bin‹

Holz eines Tisches zu sein, an dem jemand sitzt

II verstecke die Rehe und leuchte

es war für alles gesorgt. alle Gäste waren
erschienen: die Astrophysiker und Astronomen

von Rang, die Bildungsministerin und nicht
zu vergessen: die tätowierten Freunde der Sterne

es waren alle gekommen. man trug Brillen
aus Pappe und schaute gen Himmel, der Himmel

selbst hatte Platz freigemacht für den Durchflug
der Venus vor dem breiten Antlitz der Sonne

es war für alles gesorgt. als Erstes bemerkten
die tätowierten Freunde der Sterne, dass etwas nicht

stimmte. nach und nach fielen Forscher mit ein
wo bleibt die Venus? wo bleibt der Schönheitsfleck

des Planeten auf unserem Sonnengesicht?
niemand sah nichts. lag es am Datum? lag es am

Licht? die Teleskope zeigten ihr Bild
vom Venustransit – mit den eigenen Augen

sah man es nicht. die Forscher legten die Stirnen
in Falten, die Bildungsministerin zweifelte

am Konzept. nur die tätowierten Freunde der Sterne
lachten sich krank und schnitten einander

langsam dunkle, runde Motive in ihre Gesichter

guten Morgen, Deutschland, schalt die Warnblinkleuchten ein
und einen Gang runter, auf der A14 gerät ein Transporter

ins Trudeln, weil der Fahrer zu spät vom Smartphone aufsieht
weil seine Freundin in Echtzeit Schluss mit ihm macht

Alter, ich krieg Herz, sagt der Fahrer zu sich, und die Fracht
im Zwielicht seines Laderaums, Geflügel, kriegt Flügel-

Hals- und Beinbruch, weil der Transporter durch ebenjenen
unglücklichen Umstand in die Lärmschutzmauer rast und

was noch Odem hat, auffliegt, als hätt es das Fliegen
täglich trainiert, gut sichtbar wie unsichtbar auffliegt und

wer bei drei in der Baumschonung ist, erlebt sein blaues
nie gekanntes Freiheitsgefühl: lebende Tiere, Horizont, Punkt!

Anleitung zum Fliegen

I breite die Arme schulterhoch aus. verhalte dich, als könn-
test du fliegen.

II sei wie der Pfarrer im schwarzen Talar, der ohne es selber
zu merken mitten im Schlusssegen vom Boden abhob, zum
Glockenstuhl flog und von dort aus in tiefen Schlaf fiel und
fiel.

III halte dich an die windschiefen Hecken am Dorfrand, die
Nebelbänke, die Wälder.

IV rüttel am Backpfeifenbaum der Geschichte.

V lass dich nicht hetzen. und wenn sie dich hetzen, dann
flieh.

VI lass dich nicht schinden. und wenn sie dich schinden, finde
heraus.

VII finde Verstecke. kletter auf Bäume, bau dir kein Haus.

VIII sei wie die Fliege mit Schlinge um den Chitinhals, die
Runde um Runde im Küchenlicht flog, bis ein gelangweilter
Junge genug vom Spiel hatte. putz deine Wunden.

IX steig auf eine Grenzmauer und jubel darauf. kriech unter
Maschendrahtzäunen hindurch.

X vertrau auf die Fliehkraft.

XI sei wie die Fledermaus, die ohne anzustoßen aus dem La-
borfenster flog, nachdem man ihr beide Augen ausstach,
um den Fledermaussinn zu erforschen.

XII benutz keine List. sei nicht getrost. zähle bis dreizehn und
spring.

vergessen wir
deine Splatter-Alpträume.

das alles ist echt. vergiss jetzt das Echte
vergiss vor allem die Datensätze der Nachrichtensatelliten
den Mond, vergiss

die Nachrichten an sich, vergiss
auf halber Strecke zum Satelliten taumelt was auf uns zu
mit ihren gefiederten Füßen werden da Betten geschüttelt
kristallografisch an deinem kleinen Verstand? vergiss die

Bilder. das alles ist echt und taumelt uns beiden entgegen.
ei, dreh dich im Kreis! werde kristallisch, werd leis
im Bedecktsein der Dinge an sich.

die erdabgewandte Seite des Mondes, vergiss
vergiss Fitchers Vogel. keine Märchen jetzt.

vergiss das Vergessen, wenigstens kurz und
auf halber Strecke zum Mond, vergiss
mindestens für die Dauer eines Gedichtes

dich selbst und schieb deine Zipfelmütze zurück
baumeln die Götter
rüttelt da einer
Geschichten, vergiss

und jetzt taumel mit
sei ein weißer Schattenwurf
sei weiß, wie Weiß weiß ist. wisse nichts.

das hier heißt Schneemann.
sogar Schnee hab ich für dich gemacht. roll deine

Winterinformation, aber vergiss das mit der Informati
roll jetzt deinen Schneeball und werd kopflos darüber
sei ein Taumeln im Winter, im leichten Fall

dass du voll Laub bist und ganz ohne Kohle.
du bist der erste und letzte Schneemann
voll Freuden.

nur deutlich haltbarer

lass uns auch sowas bauen! Schneeball und
n Schnee über die unberührte Fläche von

on
sei dreifacher Ball!
ist doch nicht schlimm, Schneemann

nichts ist schlimm, nirgendwo Grimm
deines Lebens, das sein wird
du taumelst den stillen Himmel herunter

als Schnee.

Schnee fällt und verschwindet, sobald er am Boden aufschlägt
du atmest fast lautlos. wir liegen am Grund eines nördlichen
Meeres und halten dem Druck der völligen Dunkelheit stand
Schwesterlein, schläfst du? hörst du das rosafarbene Rauschen
der Überseeschiffe? die Wale verlieren an Richtung und treiben
an die beleuchteten Strände. von hier aus: keine Sternbilder

sichtbar. auch nicht vom Boden des Ozeans aus und nicht mit
geschlossenen Augen, bei Nacht nicht, nicht bei Schneefall, nie
am orange angestrahlten Himmel über deinem und meinem
Zuhause. du atmest lautlos. Schnee fällt in Brocken, in Flocken
nein, er zerfällt. wir schweigen und treiben nebeneinander in
diese schwankende, bodenlos rauschende Schneekugelwelt

wie angewurzelt stand ich zwischen den Bäumen
im Schneekugelwald, wo ein Mann auf einen
zweiten eindrosch. ich war noch nicht groß, ich
kannte noch gar nicht die Sage vom Russen
den Großvater erschoss, um nicht vom Russen
erschossen zu werden. wie angewurzelt stand ich
zwischen den Bäumen und schaute auf einen
der drosch auf einen zweiten Mann ein, der lag
auf dem Rücken. wie angewurzelt stand ich
im Schneekugelwald und hoffte auf Blut und auf
einen unmissverständlichen Schrei – um Jahre
später schreiben zu können: ich war dabei und sei
so schnell wie möglich gerannt, um Hilfe zu holen

sags bloß nicht mit Rosen, sags gar nicht
mit Blumen! Schneeball, Kamille oder

die Eisblumen im Heidehaus meiner Eltern
sind alle sind echt. aber wir, du und ich

sind wir nicht echtheitsgeprüft? sags
in Fraktalen, sags in aller Sternförmigkeit

der Koch-Flocken auf deinem Mantel
im Winter, sags auf einem unbedruckten

Papier, in Drachenkurven gefaltet. sags
mir im Klang der Peano-Kurven, sags

mir im vierhändigen Spiel, aber nimms
nicht so genau, Mann, schau lieber

gütig an mir vorbei, wenn ich mich schon
wieder nicht ausstehen kann. sags

mir am besten überhaupt nicht. lass es dir
Schneeball, auf der Zunge zergehen

schiebs hin und schiebs her, ich will es dir
vom Munde lesen wie Mandelbrot, frisch und warm.

δ wie

wir werden mindestens zwei sein, wenn es
beginnt. der Prozess ist eingeleitet. wir
befinden uns kurz vor dem Durchbruch
dem Anbruch eines Mittags, der die Nacht
nicht mehr kennt. wir schalten hier unser
übel gelauntes Misstrauen ab, erheben uns
zu einer geistigen Kraft, wir heben uns
auf. nichts wird mehr zwischen uns stehen
keine Sprache, die wir nicht beherrschen
wir streichen alle Fehler heraus und reichen
einander die frisch gewaschenen Hände
wir werden DNA-Stränge sein, wir werden
uns ineinander verschrauben, die Achse
unseres Unglaubens aufheben. wir taumeln
nach einem neuen tonalen Notensystem
das noch zu entschlüsseln sein wird, wir
werden ein einziger, tagheller Marsch sein
eines in sich geschlossenen physikalischen
Körpers in seiner gleichförmigen, aber
schier unkontrollierbaren Bewegung nach
rechts. es wird eine Unwucht sein wie
am ersten Tag. wir erwarten gut vorbereitet
den Durchbruch. wir schäumen vor Freude

III dreizehn Ölgemälde

sie lag im Korb und trieb auf der Elbe
an Mělník und Zeithain vorbei. Ultraschallwellen

übertrugen ein vollkommen falsches Bild
von der Sprache: kleiner Schwarzweißgreis

mit Vögelchenherz. weißt du noch, wie
sie sich Luft in den Leib schrie und wie auch

ich brüllte, ich sei ein sacht ausgehobenes Grab?
gegen Mitternacht ward sie heiser

trieb an den Wurzeln der Verben vorüber
und schaute zu ihren gebeugten Stämmen hinauf

und in den nimmer geteilten Himmel hinein
der still im All sich drehte, drehte, dreh-

wir erwachten vom ohrenbetäubenden Lachen

der grauweißen Vögel. ein Gelbschnabel-
gackern, ein Keckern und Krachen

als habe die Sprache ursprünglich ihnen gehört

hochverehrtes Publikum, hören Sie bitte
haarscharf vorbei. folgen Sie bitte der Klangspur

des elektronischen Gedichtes entlang
der Lautsprecherboxen. sehen Sie schon

Musik und Geräusche? hören Sie schon
die farbigen Lichter? das elektronische Gedicht

ist ein Gedicht im Gedicht und gut
in den Wellenformen der Zukunft versteckt

die im nächsten Moment schon wieder
Vergangenheit ist. an den Ohren von Edgard

Varèses Enkeln schwebt es – vorbei

dieses Gedicht ist vollkommen durchsichtig
das ist gar nicht lesbar. das ist so gut

wie nicht da. das wurde noch gar nicht
geschrieben. das vollkommene Gedicht wird

nur gesungen und gesprochen, gespielt und
gehört und wieder von vorn abgespielt:

Geräusche in einem dunklen Gebäude
wie jene im Magen eines, o, großen Fisches

aus leuchtenden Dioden. Sie sehen gar nichts?
dann schauen Sie bitte knapp dran – vorbei

ein Grüppchen
von Forschern aus Lauscha und Aachen
behauptet beharrlich, dass es einst etwas gab, das aussah wie ein großes und unerhört schönes, ein singendes Haus mit zwei ungleichen Hörnern anstatt eines Daches und vielen von Giebel zu Giebel gespannten, hauchdünnen Wänden, wie sonst nur Zirkuszelte sie tragen. ei, dumme Laien! sie lachen die Forscher aus Lauscha und Aachen laut aus. wir aber glauben ihnen und lesen in ihren Schriften, was man über jenes Haus weiß: nämlich wenn man es kraulte, dann knarrte es leis mit den Türen. wenn man es betrat, dann summten seine dreihundertfünfzig Fenster. und wenn man darin spazierte, dann blinkten im Dunkeln der Wände bewegliche Bilderchen auf, dass man seinen Augen kaum traute! so steht es in den Berichten. post scriptum sei noch zu bemerken: die Forscher aus Lauscha und Aachen nanntens ein Haus. in diesem Punkt jedoch irrten sie sich. in Wirklichkeit wars ein Häusergedicht.

wenn die Vorstellung aus ist, wenn der Beifall vorbei ist, wenn das Schlussbild der Frau mit dem Kind in den Armen in der dunklen Halle nicht mehr zu sehen ist, wenn das Publikum wieder zuhaus ist und selber Kinder bekommt, sie großzieht und dabei unmerklich klein wird, kleiner und schließlich verschwindet, wenn auch die Halle schon lang nicht mehr steht und bloß Baupläne und eine Handvoll vergilbter Bilder belegen, wie unwiederholbar schön es doch war und dass es drin aussah wie im Bauch eines, o, großen Fisches, und dass es auch ebenso klang – dann bleibt immer noch dieses alte Gerücht, dass es einst etwas gab, das aussah wie ein großes und unerhört schönes, ein singendes Haus mit zwei ungleichen Hörnern anstatt eines Daches und vielen von Giebel zu Giebel gespannten hauchdünnen Wänden wie sonst nur Zirkuszelte sie
–

schneiden wir ihn doch einfach heraus

sagt der Docteur über den Uterus
meiner Mutter. meiner Mutter sagt er
wir müssen sowieso operieren
und wenn wir schon dabei sind, nicht
wahr? och ja, sagen aufgeräumt
die Mütter der Freunde, sie schätzen
sich glücklich, leer, ergo gesund.

Mensch Mutter! was ist mit den Resten
vom rötlichen Licht, den Spuren
von Stille, wohin mit dem Haarrest
meines geträumten Zwillings
den es nie gab, seinem Fingerabdruck
so groß wie dein kleinstes Gefäß?
Mutter sagt nichts. wir schauen uns an

wie man nur den eigenen Körper anschaut

jeden Tag vergessen, woraus wir bestehen

aus Leber und Magen und Hirn. echt Affen
sind wir, die jeden Tag aufs Neue
vergessen, Affen zu sein und jede Nacht
schlafen wie Tiere ohne ihr Fell.
beim ersten Geräusch wach sein, warten
und wach sein, wach sein und warten
die Fenster betrachten, das sichtbare Glas

die Fassade der Häuser. wir haben uns
an die Leere in unseren Körpern gewöhnt.
wir haben ihr Kosenamen verpasst
›inneres Kind‹ oder ›Kammerflimmern‹
›Schweinehund‹ oder ›Seele‹. nichts davon
glauben. müde werden darüber
und unsicher schlafen, jede Nacht wach

sein. sich kurz vor der Dunkelheit fürchten

klick. raten Sie mal, was in dem Augenblick, in dem Sie hier festsitzen und noch ein Gedicht fressen müssen, vor der Tür sitzt und einer Maus das Genick bricht. da haben Sie keine Ahnung, nicht wahr? ja, haben Sie keine Fantasie, oder haben Sie nie eine Katze gehabt? da fragen Sie sich selbstverständlich: wie kommt das Viech jetzt in dieses Gedicht, das bekloppte? hang on, es kommt noch dicker. Ihre Katze hat nicht nur die Maus totgebissen, Ihre Katze geht mit Ihrer eigens erworbenen Pizza auf Ihrem gedeckten Gartentischlein eine körperliche Verbindung ein, ohne jedes schlechte Gewissen, weil, Sie sind ja hier und essen die Pizza sowieso nicht. so, sehen Sie mal, zu welchen zusammengesetzten Nomen Ihr Haustier fähig ist, Ihre Pizzakatze, o! und jetzt kommt der Mitmachteil dieses Gedichtes, bitte alle zusammen: bist du bekloppt, du dicke Pizzakatze, Pizzakatze Pizzakatze Pizzakatze Pizz π

Nachtlied

wenn dieses summende, kreisförmig fliegende, dieses Mückengedicht im Folterkabinett einer einzigen Nacht der Autorin, die keinen Schlaf fand, mit einem Schlag an die Wand aussieht wie ein Sticker im Poesiealbum jener Autorin, die sich am nächsten Morgen die Ohren reibt und nicht dran erinnert, dass es den unwichtigen, um nicht zu sagen schlichtesten Wicht eines Mückengedichtes je gab, und wenn nur ein gänzlich unterbelichtetes Grüppchen, um nicht zu sagen Trüppchen von Germanisten, gleich Terminatoren im Gehirn der Autorin beharrlich darauf besteht, dass es eben doch etwas gab, das nahm sich aus wie ein großes gepanzertes, und nicht zu sagen gepanzert gewesenes, um nicht zu sagen verwesendes Untier auf einem mit Blut, um nicht zu sagen mit Puff, nein mit Bluff bespritzten Buch, vollgestopft mit, huch, Poesie, dann sei auch dieses Gedichtlein endlich erschlagen, wurde auch ∞

seit Tagen bewegt sich die Luft: die Bäume schleudern sichtbare Pollen gegen die Augen der Kalten Sophie und gegen den leeren Himmel darin. sie zielen auf alles, was unsichtbar ist. auf den Nachmittagsmond, die Satelliten im Orbit und in ihren Forschungskapseln hinter der Venus all die verschollenen Hunde und Affen. in meinem Hof die Kastanie macht leise Gebärden, die keiner versteht. wenn die Erde sich dreht und der Norden sich gerade unten befindet, regnet es Tiere mit Fellen und Blätter mit Fingern ins Universum hinein, sagen alle, die nichts verstehn, darunter auch ich. die Kastanie in meinem Hof tastet seit Tagen im Dunkeln, als suche sie nach einem Grund, sich gegen den Fall in den Himmel zu stemmen.

wird enger im Käfig, findest du nicht? dunkel am Morgen, stumpferes Licht. wird eigentlich länger schon dunkel am Morgen und dunkel am Abend, mittags kann ich deine Hand vor Augen nicht sehn. du bist ganz und gar aus Abwesenheit gemacht. wieder und wieder frag ich dir schwarze Löcher in deinen Bauch: sind wir, du und ich auch, nicht länger schon abhandengekommen: das abhandene Mädchen im Superwomankostüm, der abhandene Junge mit Bierbauch und Glatze. Bruderherz, wir sind ja vom Abend noch satt. pah, Platzangst und Schmerz, sagst du, kenn Männer nich. nochn Steak? mir reichen die Krumen am Boden. lieber Hänsel, ich bin dein Gretel im Superwomankostüm und du mein einziger, wirklich einziger Grund, gleichzeitig rückwärts zu sehen und vorwärts, nach Hause zu gehen.

fast dreizehn Fragen über Idomeni, 2016 AD

und was, wenn love doch nicht die answer ist? und was, wenn dove noch nicht das erste Blatt vom Boden liest und wiederbringt als Zeichen: Land in Sicht? und was, wenn überhaupt kein klares Tageslicht auf den Gewässern sichtbar ist, statt dessen lauter Männer, Frauen, Kinder, die versinken? und was, wenn kein schöner Deut in meinem Schland zu finden ist als gefiedert und geteertes Mitleid zum Verlinken, bis auch ich mein eigen Sprech vergessen tu? und was machst du so? ich ertrinke. das ist nicht sarkastisch gemeint. mein Gewissen und ich, wir sind nur spartanisch vereint. wir reimen Betroffenheitslyrik und rühren uns nich. wie lautet die richtige Frage? und was, wenn Idomeni die schlichte answer ist und eine neue Art, zwischen die Stühle zu sinken? vertraut ihr mir oder nicht, fragte die Kanzlerin zwischen den Tischen zurück und wartete auf Frage neun: wie lautet die glaubhafte Klage, damit ein Mann, eine Frau, ein Kind nicht wieder heimgeschickt wird? ich weiß nicht, was richtig und falsch ist. ich spreche vom Wühlen im unterkühlten Gewässer als einer neuen Form von Bewegung. wie war noch die Frage? und was, wenn dove doch keine Marke ist, die man beim Waschen der Hände in Unschuld vergisst? ruckedigu, Idomeni, Blut ist im Schuh. ich wasch meine Hände im Regen.

Nachricht von der deutschen Sprache, 2026 AD

Berlin. wenn es gelingt, bin ich ein Feld voller Raps, verstecke die Rehe und leuchte wie dreizehn Ölgemälde übereinandergelegt. wenn es jetzt schon gelingt, will ich Schaum sein vom Sirup irakischer Datteln, Würfel aus türkischem Honig, syrischer Lyrik, eine rundgeschliffene geometrische Form wie Kiesel, Wiesenblüten, Bonbonmund, sprichs aus: ich bin das Pidgin der schönen, schwarzlockigen, schweren Jungs, die ihre Rhymes austeilen in zärtlichen Bomben, gucksdu: keiner fliegt hier in die Luft außer den Tauben. (wenn es nicht gelingt, will ich meine Sprache vergessen. je suis ein Feld voller Monokultur, ersticke die Schlehen und drehe mich weg. je suis nicht mehr mein eigen Heimatland, jedoch) wenn es gelingt, werden wir, ihr alle und ich, zeitgleich ein Kinderlied reimen wie aus einem einzigen Mund voller Raps, wir werden ein fließender Leim sein auf weißem Papier. wir werden leicht sein und schwer. vor allem aber werden wir sein.

IV übereinandergelegt

Grimm

wir schrieben uns Nachrichten auf rohen Eiern
wir hielten unsere Kratzer und Schleifen
auf Kalk für glückliche Zeichen, einander ohne
Rücksicht auf Verluste, buchstäblich alles
schreiben zu können, auf rohen Eiern zumal
und in schwankenden, hohen Gebäuden
wie gemacht, sich im heiteren Rasen der Erde
sacht zu bewegen. wir schrieben auf rohen Eiern
je nach Dringlichkeitsfaktor drückten wir
ordentlich auf, bis wieder eines kaputt war.
pah, kein Problem! wir hatten ja eine gegen
unendlich gehende Menge an rohen Eiern
im Kühlschrank, sie lagen zierlich und ziemlich
wie Zukunftsballons am Horizont hängen
hinter dem es weiter, immer weiter ginge
so hatten wir gehört. in unseren Wolkenkratzern
war immer Silvester und Ostern in einem
und wenn etwas brach, war schon mal
die ganze Seitenfront weg, und wir konnten
einander betrachten, mit wehendem Haar
und vollkommen ungestört in unseren
der Reihe nach einknickenden Lückenruinen
wie wir uns die Zeit mit dem Zerdrücken
von Eiern vertrieben. wir schwenkten
die klebrigen Arme zum Gruß und senkten
die Köpfe über eine gegen unendlich
gehende Menge an Scherben und Grimm.

das Märchen vom Schlauraffenland

guten Abend, Deutschland, schalt die Nebelleuchten ein
wir bemühen uns um Klarsicht und erkennen:

wer zu dir will, muss durch einen Kuchen sich fressen
der nicht in den Hausmärchen steht

wer wieder hinauswill, ist schneller draußen
vor der Tür, als ihm ein Wort mit vier Silben einfällt

sag einfach dreimal: Schlauraffenland, Schlauraffenland
wir haben uns in deinen Einkaufszentren verlaufen

sie gleichen einander aufs Haar. in Höxter
kauft ein dickes Mädchen einen Engel aus Ton

und fragt an der Kasse: was heißt Hoffnung? in Steinheim
trinkt Hakan starken Kaffee, ihm träumte wieder

vom Honigkuchenmittelmeer, das er durchschwamm
um endlich auf den braun verschlammten

Straßen Schlauraffenlands zu stranden. in Jena
erhält ein Pfarrer nach drei Jahren Prozess

eine Geldstrafe, weil er auf einen Polizeiwagen zuhielt
um keinen Demonstranten zu überfahren.

meine Heimat, das sind nicht nur die Städte und
Dörfer, das ist auch der Türsteher davor. mir träumte

er sieht aus wie Kaya Yanar und fragt nach dem Codewort:
sag mir das Land, wo Esel silberne Nasen tragen

sags dreimal hintereinander: du kommst hier net rein
du kommst hier net rein, du kommst –

bei Nacht lieg ich wach, denn Mutter wacht auch.

unheimlich müde streicht sie über mein schneeweißes Haar

und ruft außer Atem: ki

keriki, die güldene Jungfrau ist wieder hi

e!

Frau Holle wiederum träumte

er sah aus wie ein Kriegsveteran mit einer
siebzig Jahre alten Kugel im Kopf: Väterchen Schland

ihr träumte, er trug eine Zipfelmütze und räumte
sein Land vorm Schlafengehn ordentlich auf

Goldmaries Traum

bei Tagesanbruch lieg ich wach und höre
der Schussfolge nächtlicher Krachträume nach

ein Hochgeschwindigkeitslauf durch unser Haus
das längst von Fremden gekauft worden ist

bei Tagesanbruch hör ich auf Mutter. sie sagt
was ich nicht im Kopf hab, hab ich in den Beinen
gehabt. Mutter war schnell wie n D-Zug, leicht

wie Mobilfunk, unsichtbar wie Datentransfer
ach, alles war immerzu gleichzeitig dran!

im Keller geht Licht aus und gleich wieder an
in der Küche glühn alle vier Herdplatten auf
im Schlafzimmer türmen sich Berge von Betten

am Nachttisch, leis, steht ein Teeglas voller Eis
in dem sich ein eingebettetes jpg verbiegt

Bild eines Kindes, das drin versteckt liegt und
brüllt: Mensch, Mutter! wo bleibst du denn nur?

Pechmaries Fiebertraum

kikeriki, die schmutzige Jungfrau
ist wieder hie! ich bin hässlich und faul

meinetwegen. als das Brot rief
zieh mich raus, zieh mich raus, sonst

verbrenn ich, dachte ich eben
die Schockfront der Teilchen im blut-

orangenen Sonnensturm durch
als der Apfelbaum rief: schüttel mich

schüttel mich, wir Äpfel sind alle
reif, hab ich einen gegessen. süß war er

wie Allerseelen, saftig wie frischer
Schnee. die anderen ließ ich

den fröhlichen Staren. ich legte mich
in die Laken der grässlichen Frau

machte Notizen und dachte noch: au
das gibt Ärger

Rosenrot,

Vater war Offizier. er positionierte einen Orgonstrahler
neben unseren Betten

das war kurz bevor du ihn, während ich Schmiere stand
ertränkt hast. wenn jemand fragt, sagen wir

unser lieber Vater, er ist im Kriege geblieben.
alle nicken und blicken, von welchem Krieg die Rede ist

er irrlichtert in allen Familien. die anderen Kriege lässt er
o-beinig aussehen. er duckt sich im Fernsehgerät

ich: dieser Film war der Hammer!
du: ich fand ihn so schlecht, dass ich mittendrin ging.

ich: der Braunbär ist eine bedrohte Tierart.
du: komm schon, wir wollen drauf reiten.

ich: wir wollen uns niemals verlassen.
du: solange wir leben, niemals!

Schneeweißchen,

Mutter ist eine hysterische Person, die auf jedem Familienfest
weint. ihr Lachen klingt glockenhell durch die Kapelle
in der du liegst und endlich so blass bist, wie der Volksmund
verrät. Mutter ist ganz verdreht, sag ich dir, und ist das
nicht auch eine Haltung zwischen den Kriegen der Väter?
was das eine hat, solls mit dem anderen teilen, sagt sie
aber wie, mal rein medizinisch betrachtet, ist der Durchschnitt
von deiner + meiner Körpertemperatur? Schneeweißchen
wir können nicht mal baden miteinander, vom Reden
schweigen wir gleich. die roten und weißen Blutkörperchen
gehen uns aus – päppeln wir einander doch auf! ich füttere dich
mit dem Mund, du mich mit deinem Löffel aus Schnee.
rosig werden wir sein und in Trauer. das Fell unseres Bären
teilen wir uns. wir werden ihn gleich stark vermissen.

Rosenrot,

meine Haut ist weiß, weil ich eine Sonnenallergie habe
und meine Tage hinter geschlossenen Vorhängen verbringe
wo ich davon träume, mir ein Gartenkarree zuzulegen.

dein schmaler Mund ist rot vom Fleisch aller Mädchen
die an uns vorüberzogen, an den umkippenden Ufern
der Baggerseen, wo wir unsere Sommer verbrachten.

ein Braunbär war unser gemeinsamer Freund. wir
schmierten ihm auf verschiedene Weisen Honig ums Maul.
du mit dem Mund, ich mit einem Löffel aus Schnee.

wo bist du jetzt? ich suche dich in den Badeanstalten
und finde dich nicht. aber natürlich, du und die Bärin
in deiner Begleitung, ihr geht gar nicht in Badeanstalten.

ihr liegt am versteckten Ufer eines brandneuen Sees
und schlagt einander zärtlich mit Haselruten, bis eine
auflacht und ruft: das hat jetzt aber wehgetan.

falls du mich suchst, Rosenrot, dann findest du mich
auf dem Rücken des Eisbären. wir stehen auf künstlichem
Felsen und halten die Eingangsluke des Pflegers im Blick.

wir sind über und über mit Honig beschmiert.

Schneeweißchen,

ich würde dir gern mitteilen, worin der Unterschied
zwischen deiner, Schneeweißchen, und meiner

Erscheinung besteht. Erscheinung als Phase, mal rein
physikalisch betrachtet: du bist ein zunehmender

fleckiger Mond, ein halbvolles Glas. ich bin halbleer.
ich stehe im Schatten unserer lieben, hysterischen Erde

ich kann keinen Honig mehr sehen. ich hätte dir gern

Vaters letzte Worte übermittelt, das war kurz bevor
ich ihn, während du Schmiere standest, ertränkt hab.

ich hätte dich gern nach den fluoreszierenden Algen
befragt, darin sich sein flächiger Körper verfing

bis er leuchtete wie eine Freiluftkinoleinwand
auf die ich den einzigen Wunsch projizierte

der mir zu dir einfiel:

Fitchers Vogel

ich habe mich in ein Fass
mit Honig gesteckt
hab das Bett aufgeschnitten
und mich drin gewälzt.
nun bin ich ein komischer
Vogel, kein Mensch
erkennt mich, ich selber
erkenn mich nicht
wieder. ein Globus steckt
mir im Hals, ich krieg
ihn nicht runter
er ist schön und monströs
runde Wunderkammer
die durch die Dunkelheit rast.
die schönen Körper
meiner Schwestern
lagern darin. vom Fluchtreflex
noch angewinkelte Beine
abgeschnittene Brüste
und Glieder und
ihre verätzten Gesichter.
morgen früh, wenn ich will
(ich hoffe, ich will)
steh ich auf und mache
alle neu, die über Nacht
zerhaun worden sind.
lacht mich nur aus
ich habe mich in ein Fass
mit Honig gesteckt
hab das Bett aufgeschnitten
und mich drin gewälzt

der Wolf und die sieben jungen Geißlein

es war eine alte Wölfin

die hatte sieben Welpen.
die schnürten ihr nach
durchs Dickicht Europas
über den sechzehn gelben
Pupillen die wechselnden
Kronen der Eichen und
Leuchtraketen der nackten
Verrückten ohne Verstand
die lodernden Städte
erschwerten die Nachtsicht
am Anfang, am Ende und
unter den leisesten Ballen
Blindgänger, rasende
Landschaft, Leichen im Laub

es waren sieben Welpen.
die wurden zu Rüden
die schnürten durch Weiden
und Forste, die Pfoten
immer im Abdruck dessen
der vor ihnen lief
die nackten Verrückten
bleckten die Zähne, sie
meinten, der Wolf
gehe um, bös und allein
es waren sieben Wölfe.
die kannten kein einziges
Märchen und hätten
es auch nicht verstanden

Auskultationsbefund eines störrischen Herzens

mein lieber Scholli, das Ding pocht und pocht

das stottert und bockt, holpert und stockt
das störrische Herz steht einfach nicht

still! es hat sich im Uhrenkasten versteckt

mein siebentes Geißlein, heulendes Ding
im schlechten Versteck meines eigenen Körpers.

mein Herz ist ein Intarsienschrein. darin

eine Scherbe, eine Spule, ein Schmuckstein
Sprungfeder, Bombe, ein blauer Schlumpf.

Hand aufs Herz, hörst dus nicht dumpf

ticken, echt nicht? dann nimm einen
fest zusammengerollten Bogen Papier.

Hans im Glück,

ich schreibe dir nur u dich wissen zu lassen
es fehlt mir a nichts. das i mein Hand, das i mein

Arm, das i mein Aug, schau genau hin: es i alles
noch da, seit du nicht mehr da bist, v a: alles i mind

1x vorhanden: mein Stirn, mein Hirn, mein
Pech. fasse mich neuerdings kurz u schreibe dir nur

im Sprech d pappweißen Taube vorm Haus u
ihrem mechanischen ›Überallengipfelnist‹ Ru Ru

Ru, die gesprächigste Taube v Glückstadt a d Elbe
die jedem, wirklich jedem ihrer Berichte 1 letzte

hoffnungsvolle Silbe anhängt, 1 Verschwendung!
breche hier ab. kann mein eignes Wort kaum verstehn

v lauter Abwesenheit. abgesehen davon fehlt es mir
a nichts. lieber Hans. wie geht es dir u

v a: wo bist du?
Ru Ru

Ru

Machandelboom

schräger Vogel! du kannst doch dein eigenes Lied
nicht mehr hören, deine Gespensterleier im Schatten

des Wacholders, wo du dich versteckt hast, aber das
ziemlich ungeschickt. du bist irgendwas zwischen Waldkauz

und Nachtmahr, zu schwer für den artigen Tanzschritt
der Partycharts meiner Art. seit ich dich entdeckt hab

wächst mir in der Dunkelheit meines eigenen Körpers
Wacholder. kiwitt, komm mit, ich will dir ein Nest baun

im Spiegelkabinett meines Herzens, das ein Gespenst ist
wie du. wir wollen uns drin verlaufen und scherzen

wie alte Feinde. bei Dämmerung werden wir zweistimmig
singen, es wird ein leichtes Lied sein und immer auf

einem einzigen Ton: dem Viertelton unter dem mittleren Mi
Mi wie Machandelboom, Machandelboom, Machandel …

komm, wir wollen im Dickicht unserer Körper ein echtes
helles Gelächter anstimmen, und alles wird wieder …

kiwitt

von einer, die auszog, das Fürchten zu lernen

ich hatte mich fast an die Drohnen gewöhnt
ihr präzises Gleiten in der Unbemanntheit
der Atmosphäre, ehemals Himmel genannt
ihre innere Leere, die gleichzeitige Fülle
von Fantasie an sich freundlicher Ingenieure
aus Überlingen, wochentags verdingen sie
sich an Verfeinerungen der Navigation
sonnabends verschneiden sie ihre Hecken
am siebenten Tage aber ruhen sie aus.
ich hatte mich fast an die Außenhülle meines
Denkens an Drohnen gewöhnt, an ihre
eigene Art, verlässlich zu sein, gleich einer
Wettererscheinung wie Kugelblitz, Donner.
ich wusste nicht, wie Drohnen klingen
seis Brummbass, seis leises Singen beim
Erreichen ihrer Menschenansammlung
alle Augen gen Himmel gerichtet, ehemals
einfach nur Wetterschauplatz genannt.
ich stellte mir Drohnen als Gegenteil vor
zum klingenden Schmettergesang der
Kraniche kurz vor dem Abflug, aber in so
unvorstellbar großer Entfernung, dass
ich sie nur noch im Suchbild der Satelliten
ausmachen könnte, wenn überhaupt.
der Gesang der Kraniche aber, der gleicht
einer Himmelfahrt in kurzer Folge von
Detonationen, hatte mich fast dran gewöhnt

Brüderchen,

vom ersten Brünnlein hast du nicht getrunken
sonst wärst du ein Tiger und zerreißest mich.

vom zweiten Brünnlein hast du nicht getrunken
sonst wärst du ein Wolf und fräßest mich.

vom dritten Brünnlein hast du nicht getrunken
sonst wärst du ein Rehlein und verrietest mich

an die Jäger. vom vierten Brünnlein aber
hast du getrunken. du bist ein Jäger geworden.

Brüderchen,

bist du schon Krieger des Jahres? halts Maul, Brüderchen. sie werden dir im Gerichtssaal jeden Mitschnitt unsrer Gespräche vorspielen. halts Maul, mein Männchen im Jogginganzug. du wirst dein verwunschenes Stimmlein im flammenden Bartflaum nicht wieder erkennen, wenn sie dich in allen Gazetten zitieren: Schwesterchen, mich dürstet, wenn ich ein Brünnlein wüsste, ich ging und tränk einmal; ich mein, ich hört eins rauschen.

Muttergottesgläschen

Glasmuseum Bad Driburg. Neonröhren, Dämmerung, drei
Minuten vor Schließzeit. Auftritt Museumswärterin.
gebogene Nägel, Stoppeln am Kinn, spricht mit sich selbst.

›ich bin müd und voll Durst. mein rechtes Aug ist aus Gras
fürchte dich nicht. ich halte es zärtlich zwischen zwei Sicheln
ich fahr schon den Rechner herunter, ich denke schon an

reflektierende Augen von Wild auf der Fahrbahn, im Schlag-
licht des Gegenverkehrs. sind wir in seinen Glaskörpern mehr
als rasende Landschaft, grimmiges Vieh ohn Seele und Fell?

ich bin müd und voll Durst. gib mir ein Glas Gin und ich will
meinen microsoftblauen Mantel um die Schultern dir legen
und in deiner unmittelbaren Umgebung eine Sorge finden

mindestens eine, die eliminiert werden kann, von Angesicht
zu Angesicht. und die gebenedeite Mutter Maria lege ihr
Ampellicht auf die Fahrbahn wie ein Umhang aus Glas

vom süßen Brei

unendliche Weiten. wir schreiben das Jahr 2016 AD
wir befinden uns tief in der Zukunft der Märchen.
wir sind die Enkel unserer eigenen Vorstellungskraft
ein jeder betrachtet die kommentierte Version
seines Nächsten. ein jeder trachtet nach süßem
süßerem süßestem Brei. ei! der steigt uns über den
Topf! wir halten die Empfindung von Hunger
für eine gesteigerte Form von Appetit, wir wissen
das Wort nicht, das Töpfchen zu stoppen, wir trinken
zwei Liter Wasser am Tag und drehen den Schlüssel
im Schloss. an drei, vier Tagen im Jahr sitzen wir
vor unseren ausgeschalteten Displays, offline
wir legen die Hände in unseren Schoß und befinden
mehr geht nicht. mehr gibt es nicht zu tun, und
während wir ruhn, schwanken die kleinen Boote
der Schlepper auf einer köchelnden See im Süden
im Dunkel unserer Geräte. unendliche Weiten.
während wir ruhn, treibt jemand direkt auf uns zu

v Niemandsland

im Niemandsland lieg ich
im rauen Solarlicht
meiner Forschungsstation
einer nördlichen Nacht
wo ein undichtes Zelt steht
aus Haut und Haaren
für mich und niemanden
sonst. immerzu regnet es
rein hier, und nimmer
hab ich warme Füße
seit der Kopf sich zu weit
von den Kinderheimschuhen
entfernt hat. da, wo ich
herkomm, geht eine verschütt
wenn sie keinen Pass hat
und taucht wieder auf
damit sie in einem Heimatland
stirbt, dessen Pässe
sie satt hat. wo ich jetzt bin
gibts einen Laden für
nichts, eine Mördergrube
ein städtisches Schwimmbad
wo ich splitternackt
meinen Freistil praktizier
da niemand außer mir selbst
meine schönen, dreckigen
Glieder betrachtet
und niemand außer mir selbst
meine Technik verlacht
mit der Gewandtheit
der isländischen Frauen
beim Salzen von Fisch
das Beckenwasser zu teilen

S. 13 Nach Annette von Droste-Hülshoffs »Am Turme«.
S. 21 Nach Helga M. Novak.
S. 26 Für den Klangkosmonauten Sebastian Reuter.
S. 43 In Inhalt und Ausdruck der rechtspopulistischen Bewegung Pegida nachempfunden.
S. 48 ff. Nach Edgard Varèses »Poème électronique«.
S. 58 Nach Daniel Bax: »Die Alternative heißt Idomeni« taz. am Wochenende, 12./13. März 2016.
S. 61 ff. Dieser Zyklus basiert auf den Kinder- und Hausmärchen von Jacob und Wilhelm Grimm. In veränderter und verkürzter Fassung zuerst erschienen in »Grimm« Wege durch das Land, XXIII. Druck des Literaturbüros Ostwestfalen-Lippe in Detmold e.V., herausgegeben von Brigitte Labs-Ehlert, Detmold 2015.
S. 80 f. Nach »Brüderchen und Schwesterchen. Vor dem Frankfurter Oberlandesgericht beginnt der erste Prozess gegen einen ›Syrien-Heimkehrer‹ des IS.« Stefan Behr. Frankfurter Rundschau, 15. September 2014.
S. 87 Nach Helga M. Novak.

Dank

Irène Bluche und dem Kulturradio rbb für die Einladung zu den hörbaren Gedichten, Brigitte Labs-Ehlert und dem Literaturbüro Ostwestfalen-Lippe für den Impuls zu grimmigen Gedichten, der Literaturwerkstatt Berlin für Neuseeland, Hinemoana Baker für ihren Namen, Johannes Frank für Edgard Varèse, Klaus Schöffling für den Titel, Sebastian Reuter für die hörbaren Gedichte in Schrank und Studio und meiner Familie für die Rückendeckung auf offenem Rapsfeld.

Ulrike Almut Sandig bei Schöffling & Co.

Flamingos

Geschichten

176 Seiten. Leinen.

ISBN 978-3-89561-185-8

»Sie ist keine polternde Schreiberin, sondern eine leise, aber intensive Prosa-Poetin. Mit *Flamingos* spielt sie nun wohl in ihrer ganz eigenen Liga. Mehr von diesem Stoff!«

ORF

»Sie vermischt gekonnt Reales und Märchenhaftes, Erfundenes und Wirkliches. Fließend sind hier die Übergänge zwischen Realität und Fiktion. Dabei wird nie mit plakativen Effekten gearbeitet, die Ungeheuerlichkeit findet ihren Platz zwischen den Zeilen.«

MDR

Dickicht

Gedichte

80 Seiten. Gebunden.

ISBN 978-3-89561-186-5

»Bei aller Ernsthaftigkeit der vorgeführten dialektischen, labyrinthischen und aporetischen Denk-Situationen vergnügt und überzeugt dieser Gedichtband durch Sprachwitz, Selbstironie und Humor, philophische Phantasie und ein emphatisches dichterisches Selbstverständnis.«

Wulf Segebrecht, Frankfurter Allgemeine Zeitung

»Ein Gedichtband, den man leise lesen sollte – um sich dann still daran zu freuen.«

Eva-Maria Lemke, NDR Kultur

Schöffling & Co.

Ulrike Almut Sandig & Marlen Pelny

Märzwald

Dichtung für die Freunde der Popmusik

Audio-CD

Spielzeit 47 Minuten; 22 Tracks

ISBN 978-3-89561-187-2

»Zum Mitkreiseln, Mitzittern, Mitflirren. Einfach schön.«

Karoline Laarmann, WDR EinsLive

»Man fällt einfach hinein in den *Märzwald.*«

Claudia Cosmo, Deutschlandfunk

Buch gegen das Verschwinden

Geschichten

208 Seiten. Leinen.

ISBN 978-3-89561-188-9

»Ja, zum Schwindeligwerden ist dieses auf gegenwärtige Weise romantische Buch voller unlösbarer Rätsel, und gerade das macht es so schön. Nein, nicht nur schön. Auch melancholisch, böse, rührend sind diese Geschichten vom Verschwinden, die sich *gegen das Verschwinden* richten. (…) Ulrike Almut Sandig verfügt über eine erstaunliche Sprache und hat, wie es aussieht, den Menschen ziemlich tief in die Seele geschaut. Doch ist es der schöpfungsgeschichtliche Subtext, der ihrem *Buch gegen das Verschwinden* das überzeitliche Surplus verleiht. Lesend fühlt man sich immer leicht neben der Spur. Das ist ein gutes, komplexes Gefühl.«

Ina Hartwig, Süddeutsche Zeitung

»Das *Buch gegen das Verschwinden* zeigt, wie Sprache vor Einsamkeit und Verlorensein schützt. Dann jedenfalls, wenn man so erzählen kann wie Ulrike Almut Sandig.«

Christoph Schröder, Zeit online